김석출制
김경수流

태평소산조

김
경
수 金敬洙

- 부산대학교 한국음악학과 및 동대학원 졸업
- 부산대학교 한국음악학과 한국음악학 박사
- 중앙대학교 예술대학원 음악학과 지휘 졸업
- 제42회 부산동래 전통예술 경연대회 대통령상 수상
- 김경수 피리독주회 7회

현재
- 부산시립국악관현악단 단원
- 사)서용석제 한세현류 피리산조 보존회 부이사장
- 동래삼현육각 보존회 회장
- 김해문화원국악관현악단 지휘자
- 국악실내악단 산·바다·해 동인
- 부산대학교 한국음악학과, 부산예술고등학교 강사

김석출制 김경수流

태평소산조

김경수

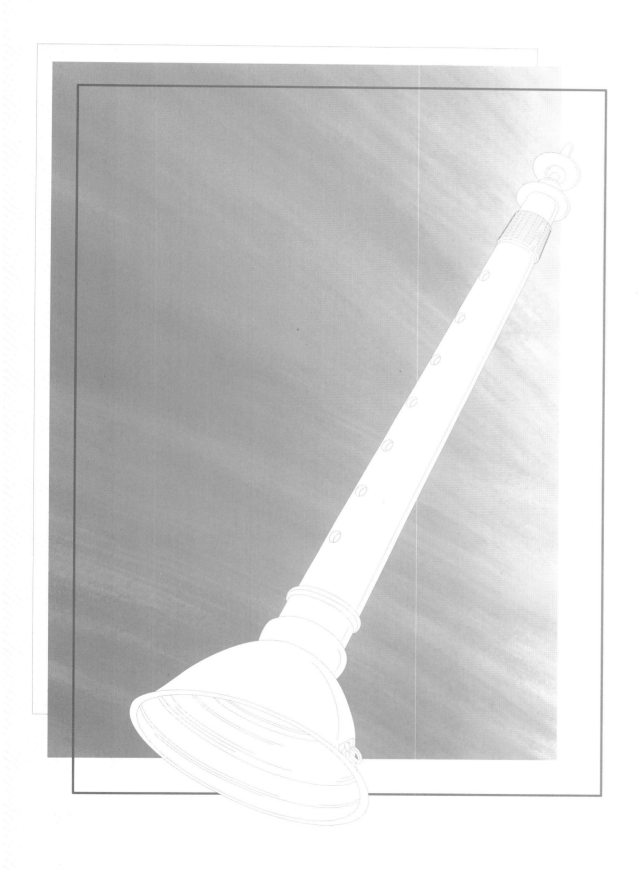

민 속 원

머리말

김석출 선생님의 태평소산조는 1980년대부터 선율을 다듬고 장단의 틀로 정리하여 1993년 김석출 선생님의 서울음반 동해안 별신굿 음반에 소개되면서 태평소산조가 처음으로 대중들에게 알려지게 되었다.

김석출 선생님의 태평소 산조의 선법은 육자배기 선법을 기반으로 경상도의 메나리적 선법과 기교(농음법)를 바탕으로 완성된 산조이며 다양한 길 바꿈 과정을 통해 선율을 진행하여 호적 산조의 완성도를 높였다.

또한 〈김석출 호적산조〉는 김석출의 예술적 성향으로 인해 정형화 되어 있지 않고 즉흥성의 여지를 많이 가지고 있다는 것이 선대 산조와 맥을 같이 하고 있다.

김석출 선생님과 본인(김경수)의 첫 만남은 1995년 5월5일 제30회 동래 민속 예술축제 공연에서였다. 선생님께서는 태평소 시나위와 특별연주로 호적 산조를 연주하셨는데 기존 태평소 시나위의 가는 길과 너무 다르고 가락의 난이도가 높아 감히 흉내를 내기조차 어려웠다. 이 가락을 선생님께 직접 배워야겠다는 생각으로 김석출 선생님이 사시는 곳을 수소문 하였지만 알 수가 없어 태평소 산조의 진양조 앞부분만 악보로 채보하여 조금씩 연습하며 피리산조와의 차이점을 알게 되었고 호적 산조의 매력을 느끼며 김석출 선생님을 직접 뵙고 배워야 하겠다는 다짐을 하게 되었다.

그러던 중 김석출 선생님께서 1999년 영도 해양고등학교에서 태평소 시나위와 태평소 산조 캠프를 하신다는 소식을 전해 듣고 한걸음에 달려갔다. 첫날에 선생님께서 반여동(삼해 대림아파트)의 자택에서 나오시던 중 계단에서 약간의 부상으로 몸이 불편하시다고 급하게 연락이 왔다. 그래서 아직 태평소 소리를 내지 못하는 일반인들을 위해 오늘은 태평소를 불 수 있는 사람이 소리 내는 방법을 가르쳐 달라는 연락을 받고 본인을 포함한 한 명이 그날 선생님 대신 특강을 진행하였다. 다음날 선생님께서는 많은 사람들이 기다리고 있다는 것을 아시고 불편한 몸 임에도 불구하고 본인의 책임을 다해야 하신다고 집으로 와 달라는 소식을 듣고 선생님을 모시러 가게 되었다.

그때 김석출 선생님께서 자네들이 나 때문에 고생 하였으니 태평소 갈대 리드 만드는 방법과 태평소 산조의 스케일을 가르쳐 주셨다.

지금도 그날 아주 가까이에서 들은 선생님의 태평소 소리와 짙은 농음의 구성진 성음은 아직까지도 잊을 수 없는 충격이었으며 나의 가슴에 깊이 자리 잡았다.

그날 이후 전문가 반에서 진행된 수업으로 태평소의 농음 법, 스케일 그리고 태평소시나위와 태평소 산조를 배워 서툴지만 악보에 기록으로 남기게 되었다.

하지만 너무나도 범접할 수 없는 기교와 가락 이었기에 당시에는 조금의 흉내만 내는 것으로 만족해야 했으며 이후에 시간이 날 때마다 선생님을 찾아뵙고 조금씩 가락을 전수 받으며 호적 산조의 깊이를 알게 되었다. 그래서 선생님의 가락을 받아들여야겠다는 마음과 함께 태평소의 기교를 폭넓게 습득하고자 다른 선생님의 태평소 시나위 가락(방태진 가락, 박종선 가락, 서용석 가락)을 배워서 김석출 선생님 태평소 산조의 기교를 완성하겠다는 일념으로 공부하던 중 2005년 음력 6월19일 선생님의 별세 소식을 듣고 하늘이 무너지는 마음이 아닐 수 없었다.

그날 이후 태평소 산조의 가락을 꾸준히 정리하고 조금씩 다듬어 2017년 4월 16일 처음으로 김석출제 태평소산조를 무대에 올리기까지 수없는 망설임이 있었다. 김석출 선생님의 가락과 기교를 표현할 수 있는 기량을 아직까지 갖추지 못하였다는 생각과 선생님의 가르침에서 기교의 변화와 가락의 순서, 그리고 선율의 변화가 있었기에 완벽한 정리가 불가능하였기 때문이었다.

그리고 태평소 산조의 장단 구성에서 김석출 선생님께서는 진양, 중모리, 중중모리, 자진모리, 엇모리, 동살풀이, 휘모리로 연주는 하셨지만 자진모리 이후 엇모리, 동살풀이, 휘모리 장단은 김석출 선생님의 태평소 시나위 연주에서 주로 연주하셨으며 태평소 산조는 자진모리까지 구성하여 연주하라고 선생님께서 생전에 말씀하셨다.

김석출 선생님의 호적산조 진양조에서 자진모리까지 선율만으로 산조를 구성하기에는 8분정도로 시간이 매우 짧았기 때문에 수년간 연구하여 새로 만든 9분정도의 가락과 장단의 틀을 기반으로 구성에 맞게 선율을 정리하여 17분 정도의 긴 산조를 만들어 2019년 김석출제 김경수류 태평소산조로 발매한 김경수III 음반의 가락을 악보집으로 정리하고자 한다.

악보를 편찬하면서 연주자가 연주상황에 맞추어 연주할 수 있도록 태평소 산조 전체에 해당하는 17분 산조, 12분 산조, 9분 산조로 구성하였고 김석출제 김경수류 태평소 산조의 선율로 2019년 부산대학교 이정호 교수님께서 작곡하여 협연곡으로 탄생하게 된 태평소 산조 협주곡 'Sol'의 솔로 선율과 장구 장단을 수록하였다.

끝으로 이 산조를 정리하여 만들 수 있도록 허락해주신 부산시 무형문화재 제23호 부산 기장오구굿 보유자이시며 김석출 선생님의 따님이신 김동언 선생님께 감사드리며 도움을 주신 배양현 선생님, 곽태규선생님, 한세현선생님, 백정강선생님, 이정호선생님, 송강수선생님, 안하윤선생님, 변재벽선생님 등 여러분께 진심으로 감사의 마음을 전합니다.

2021년 12월

김 경 수

김 석 출 制   김 경 수 流   태 평 소 산 조

CONTENTS

Ⅰ.
태평소의
역사

태평소太平簫 또는 새납은 고려 말 서남아시아에서 유래한 한국 전통 관악기로, 호적혜笛, 쇄납, 쇄나, 날라리, 랄라리 등으로도 불린다. 국악기 중 특히 음이 높고 음량이 큰 악기이다.

유래에 대해 기록마다 얘기가 분분한데, 기원을 거슬러 올라가면 이란에서 surna, sorna, zurna 등으로 불리는 악기까지 연결된다. 이 악기가 세계 여러 곳으로 전파되는데, 중국에 들어 와서는 쇄납嗩吶(병음: suǒnà)이라는 악기가 되었다.

한국의 태평소는 중국의 쇄납과 유사점이 많다.

태평소는 나무(흑단)로 깎아 만든 관에 구리나 놋쇠 등으로 나팔과 같이 벌어져 있는 '동팔랑'을 끼워 만든다. 입으로 부는 곳에도 따로 금속으로 된 동구銅口 - 조롱목이 있고 여기에 작은 서reed를 끼워 분다.

서는 원래 갈대로 만들지만 요즘에는 0.5cm 빨대를 사포에 갈아서 만들기도 한다. 서가 더블 리드의 형태를 가지고 있기 때문에 서양악기의 분류기준을 적용하면 더블 리드를 사용하는 목관악기가 된다. 지공은 뒤에 한 개, 앞에 일곱 개로 모두 여덟 구멍이 있다. 총 길이는 한 자가 조금 넘는 35cm 정도이다.

태평소는 Ab조 악기가 대부분이며 음역은 仲(Ab)부터 㴌(Ab)까지이며, 역취하면 㳔(F)이나 연주자의 기량에 따라 㴌(Ab)까지 낼 수 있다. 물론 姑(G)보다 높은 음은 따로 음공을 짚지 않고 비성鼻聲으로 낸다.

태평소는 무엇보다도 무척 크고 또 쾌활한 음빛깔을 가져서 군대에서 행진곡이나 신호용으로 많이 사용되었다. 특히 대취타의 유일한 선율악기로도 사용된다. 또 풍물놀이에서도 빠질 수 없는 선율악기로 꼽힌다. 태평소 시나위라고 해서 다른 악기들로 치면 산조와 비슷한 음악도 있는데, 태평소가 워낙 음량이 크다 보니 다른 악기처럼 장구 반주를 하지는 않고 꿰과리, 장구, 징, 북등 사물놀이 악기로 반주를 하게 된다.

태평소산조(호적산조)는 김석출 선생님께서 처음으로 탄생시켰는데 현재 악기 중에 가장 마지막으로 만들어진 산조이다.

남도의 육자배기 선법을 기반으로 경상도의 메나리적 선법과 기교(농음법)를 바탕으로 구성된 산조이며 다양한 길 바꿈 과정을 통해 선율을 진행하여 태평소산조(호적산조)를 완성하였다.

Ⅱ.
김석출의
생애

김석출 선생님은 1922년 2월29일 경상북도 포항에서 태어났다. 김석출의 집안은 오랜 기간 무업을 지속해 오던 가문으로 김천득(김석출의 친할아버지), 김성수(김석출의 아버지), 김석출 까지 삼대에 걸쳐 무업을 이어왔다. 7살부터 굿판에서 화랭이(세습무당의 남성악사)로 살았고 2005년 음력 6월19일 생을 마감하기까지 동해안 굿판에서 이름을 날렸다.

김석출의 집안은 할아버지 김천득이 터를 잡고 무업을 시작한 곳에서부터 내력을 확인해 볼 수 있다.

김석출은 4세에 모친을 여의고 부친과 형인 김호출을 따라다니며 무업을 배웠는데, 그가 굿판에 처음 서게 된 것은 7세이고 큰형에게 무악을 공부하면서 12세에 어른들과 같은 온섬('섬'은 동해안 굿판에서 쓰이는 말로, 굿을 하고 받는 몫(돈)을 뜻하며 '온섬'은 어른 몫을 의미한다)을 받게 되었다.

김석출은 20대부터 30대 중반까지 본격적으로 민속예인들과 대면할 기회가 많았으며 포항에서 형제들과 함께 집집마다 걸립을 하다가 스무 살 때 박동진(1916~2003)(중요무형문화재 5호 판소리(적벽가) 예능보유자)을 만나 판소리를 배웠다.

이렇듯 학습과 무업을 하던 그에게 새로운 예술적 전환이 오는데 태평소의 명인 방태진 선생과의 만남이다. 김석출이 처음 방태진과 만났을 당시 그는 햇님 달님 단체에서 무대(의상)감독을 하고 있었다. 이를 계기로 김석출은 한국전쟁을 전후한 1950년에서 1955년 무렵에는 유랑예인 단체에 참여하여 따라 다니기도 했다.

배움의 욕구가 강한 김석출은 굿에서 번 돈을 아낌없이 방태진에게 호적을 배우는데 쏟아 부으면서 후일 그 만의 호적산조를 만드는 초석을 만들었다.

김석출은 어렵게 만든 태평소산조 가락을 잊어버리지 않으려고 녹음도 하고, 굿판이 벌어지면 연습과 발표를 겸해 호적산조를 마음껏 불었다.

동해안 무속음악에 평생을 바친 김석출은 1985년 중요무형문화재 제82-1호 동해안별신굿의 예능보유자로 지정되었고, 2005년 음력 6월 19일 부산에서 생을 마감했다.

Ⅲ.
태평소의
구조

조롱목

제1공

제2공

제3공

제4공

제5공

제6공

관대

제7공

동팔랑

IV.
태평소의
운지법과
음계

1. 운지법

아래의 지공법은 본인이 수년간 사용하면서 정확한 음정과 음색을 내기위해 연구한 지공법으로 개인 간의 차이는 있을 수 있으며 이를 통하여 또 다른 본인만의 지공법을 만들어 가기를 바라며 전면의 제일 위에부터 1지공으로 시작한다.

후공은 G. Gb음의 운지에서 사용한다.

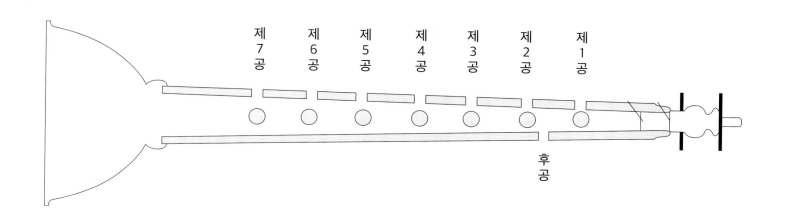

율명\지공	㑣	僙	無	黃	太	仲	林	南	潕	A	B	E	F#	潢	汰	姑
1	●	●	●	●	●	○	○	○	●	●	●	●	●	●	●	○
2	●	●	●	●	○	○	●	●	●	●	●	●	○	●	○	○
3	●	●	●	○	●	●	●	●	●	●	●	○	○	○	○	○
4	●	●	●	●	○	●	●	●	○	●	●	○	○	●	○	○
5	●	●	○	●	●	●	●	○	●	●	○	●	●	●	●	○
6	●	○	○	○	○	○	○	○	○	●	○	●	●	●	○	●
7	○	○	○	○	○	○	○	○	○	●	●	○	○	○	○	○

2. 태평소의 음역

태평소의 음역을 소개하자면 아래의 〈보례 1〉과 같다.

〈보례 1〉 Ab ~ Ab까지 음역

3. 태평소산조의 음계

태평소산조의 음계는 아래의 〈보례 2〉와 같다.

〈보례 2〉 태평소 산조의 음계

4. 장단

김석출제 김경수류 태평소산조의 장단은 다른 산조와 마찬가지로 진양, 중모리, 중중모리, 자진모리의 기본 틀을 유지 하였고 자진모리장단에는 도섭장단을 추가 하여 장단과 무관하게 연주자의 태평소 연주기량을 최대한으로 발휘할 수 있도록 구성하였다.

(1) 진양

진양 장단은 점 사분음표(♩.)가 6개모인 18/8로 표시되어 한 장단으로 구성되어 있고 기본 장단은 다음의 〈보례 3〉과 같으며, 연주되는 선율의 기승전결에 따라 다양하게 변화한다.

〈보례 3〉 진양 장단

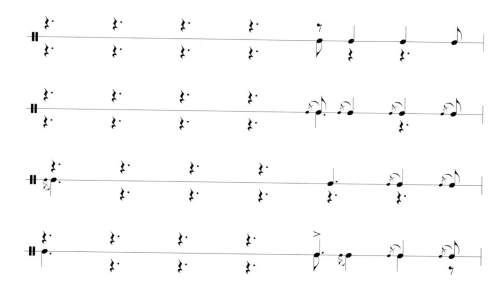

(2) 중모리

중모리 장단은 사분음표(♩)가 12개모인 12/4로 표시되며 기본 장단은 다음의 〈보례 4〉와 같으며 반주 장단 역시 연주되는 선율에 따라 다양하게 변화된다.

〈보례 4〉 중모리 장단

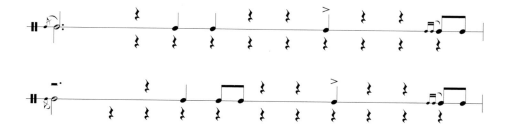

(3) 중중모리

중중모리 장단은 점 사분음표(♩.)가 4개모인 12/8로 표시하며 기본 장단은 다음의 〈보례 5〉와 같으며 중중모리 장단 또한 연주되는 선율에 따라 다양하게 변화된다.

〈보례 5〉 중중모리 장단

(4) 자진모리

자진모리 장단은 점 사분음표(♩.)가 4개모인 12/8로 표시하며 장단의 속도는 중중모리보다 훨씬 빠르다. 기본 장단은 다음의 〈보례 6〉과 같으며 자진모리장단 역시 연주되는 선율에 따라 다양하게 변화된다.

〈보례 6〉 자진모리장단

김석출 制　　**김 경 수 流　태 평 소 산 조**

악보

김 경 수 流　태 평 소 산 조

김석출 制 **김경수流 태평소산조**

긴산조

* 다스름
* 진양 22장단
* 중모리 25장단
* 중중모리 42장단
* 자진모리 98장단

다스름

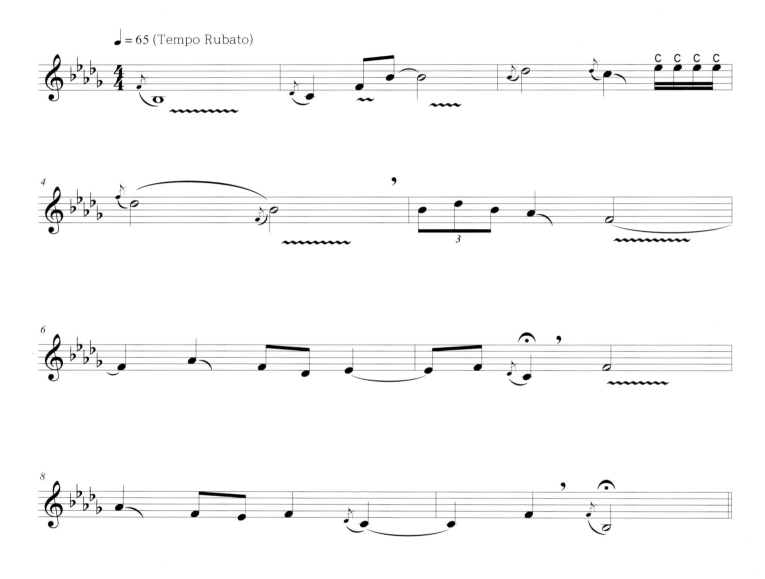

진양

중모리

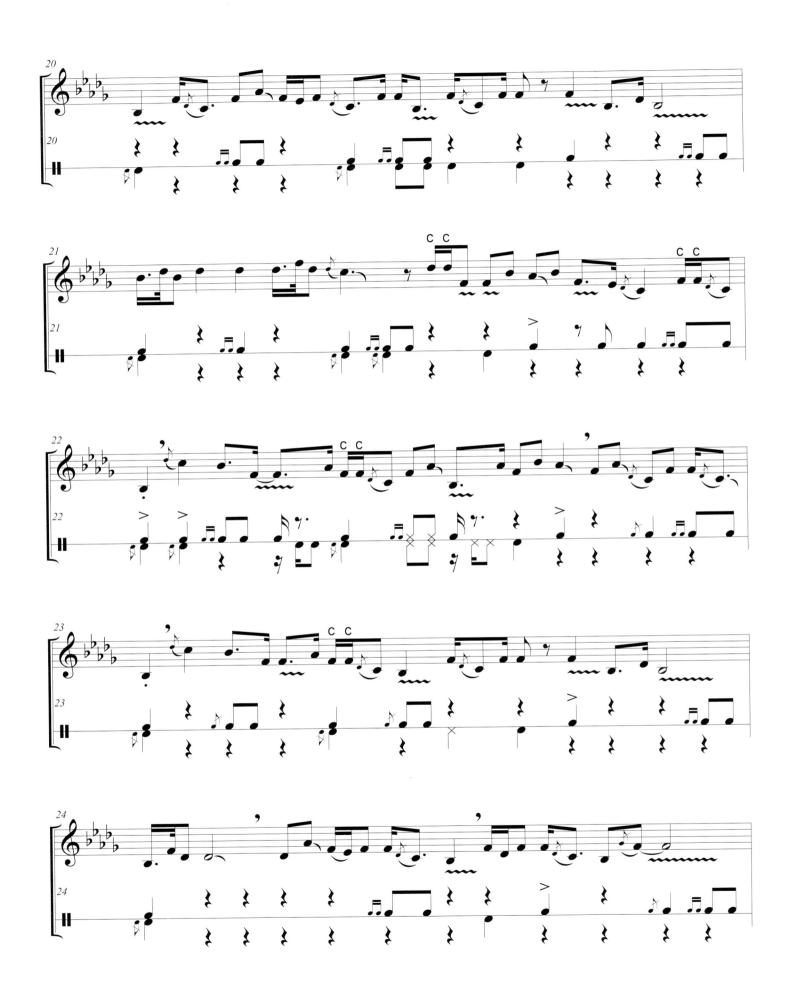

중중모리

긴산조

자진모리

김 석 출 制　　김 경 수 流　　태 평 소 산 조

짧은산조

I

* 다스름
* 진양 16장단
* 중모리 19장단
* 중중모리 32장단
* 자진모리 69장단

다스름

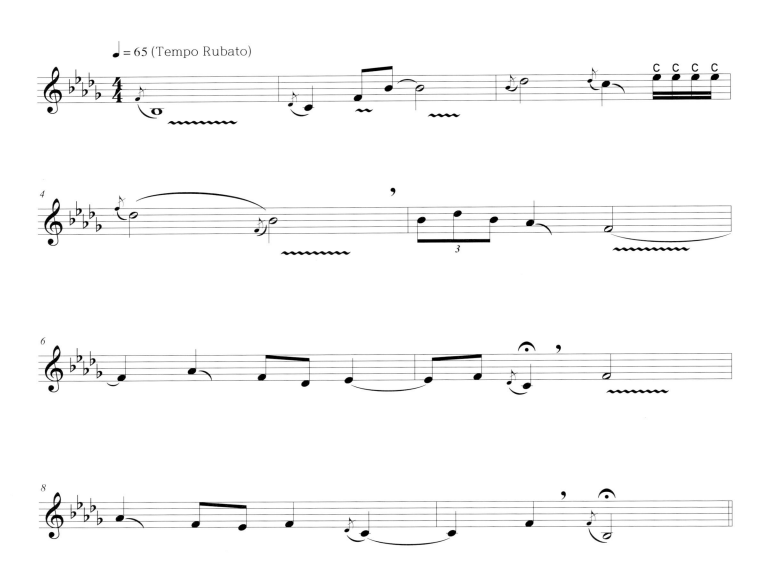

진양

중모리

중중모리

자진모리

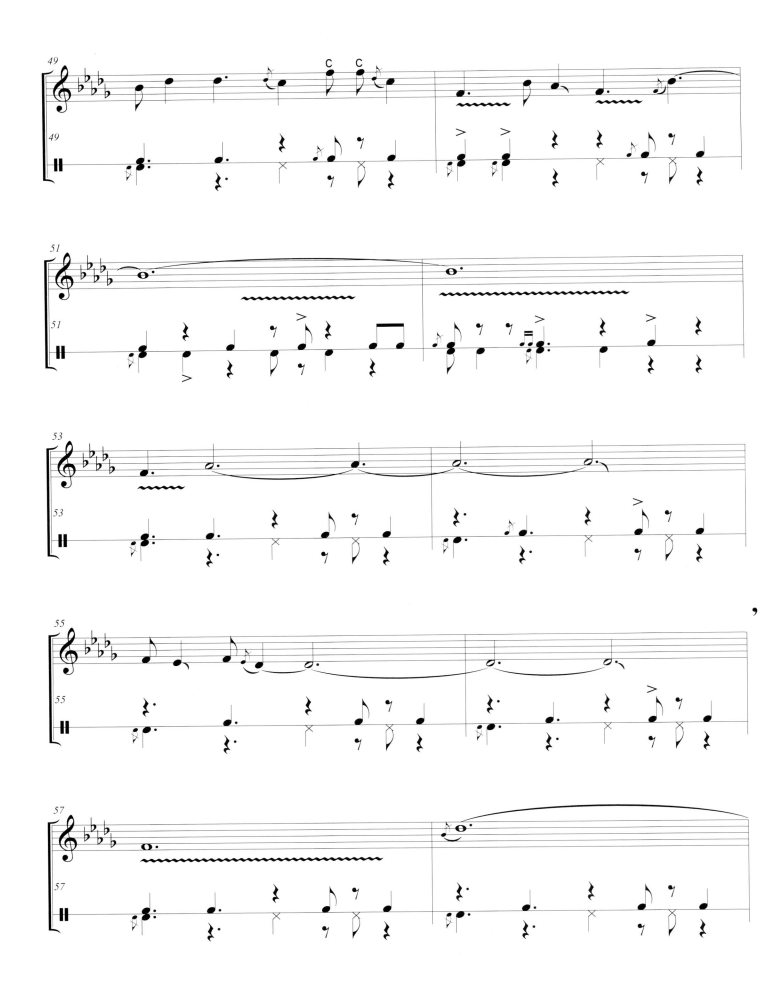

중모리

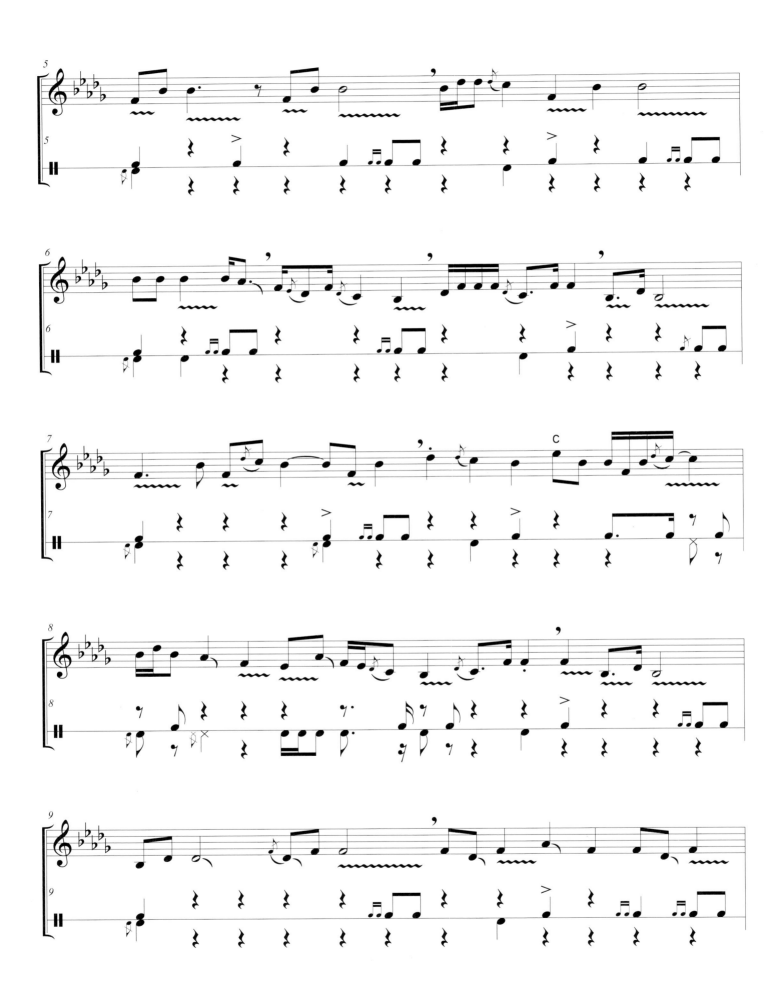

중중모리

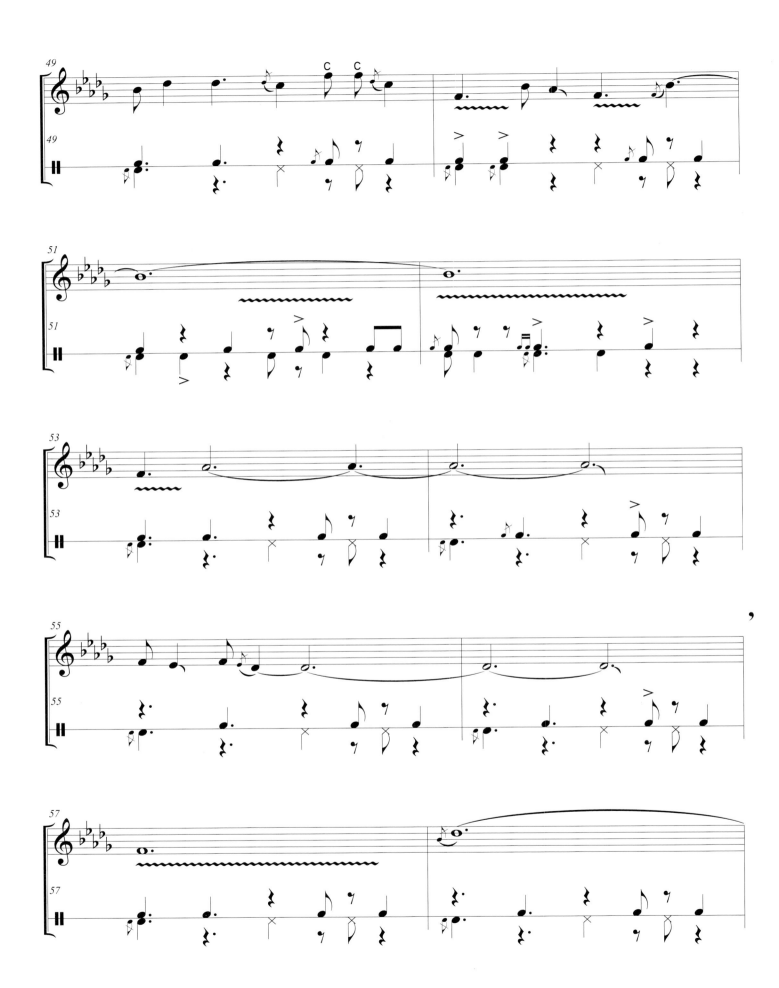

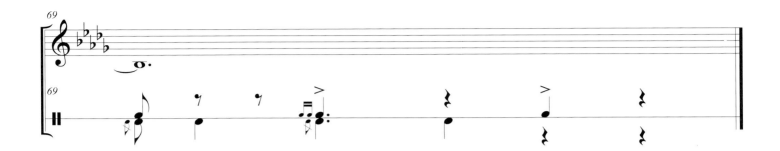

김석출 制 김경수流 태평소산조

태평소산조 협주곡
Sol

태평소 선율구성 | 김경수
작곡 | 이정호

이 작품은 김석출제 김경수류 태평소 산조 가락을 주제 선율로 하여 창작 된 곡이다. 태평소는 큰 평화를 만들어내는 관악기라는 뜻을 가지고 있다. 이런 태평소의 대담하고 호방한 소리에서 하늘에 떠 있는 태양의 밝고 강렬한 모습이 연상되어, 고대 로마의 태양신 이름 'Sol'이라는 제목을 붙이었다. 태평소산조 협주곡 'Sol'은 김석출제 김경수류 태평소 산조의 시원시원하고 역동적인 느낌을 국악관현악의 힘차고 강렬한 반주로 표현하였으며, 태평소만의 매력이 관현악의 현대적인 선율과 어우러져 더욱 풍부하고 색다르게 구현했다.

태평소 산조 협조곡 〈Sol〉

태평소 선율구성 **김경수** | 작곡 **이정호**

도섭장단

(태평소가락에 맞춰 장단연주)

푸는 가락

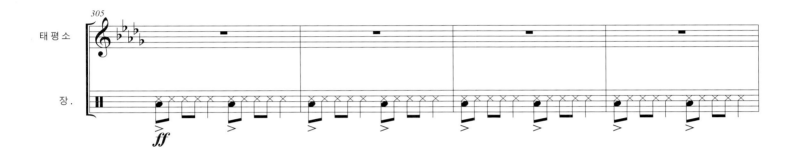

金石출制 김경수流
태평소산조

초판 1쇄 발행 2021년 12월 1일

지은이 김경수
펴낸이 홍종화

편집·디자인 오경희 · 조정화 · 오성현 · 신나래
박선주 · 이효진 · 정성희
관리 박정대 · 임재필

펴낸곳 민속원
창업 홍기원
출판등록 제1990-000045호
주소 서울시 마포구 토정로 25길 41(대흥동 337-25)
전화 02) 804 - 3320, 805 - 3320, 806 - 3320(代)
팩스 02) 802 - 3346
이메일 minsok1@chollian.net, minsokwon@naver.com
홈페이지 www.minsokwon.com

ISBN 978-89-285-1677-3 93670